日本共産党創立98周年記念講演会

コロナ危機をのりこえ、新しい日本と世界を
――改定綱領を指針に

志位和夫委員長の講演

目次

日本共産党創立98周年記念講演会

コロナ危機をのりこえ、新しい日本と世界を——改定綱領を指針に

志位和夫委員長の講演

2020年7月15日

講演する志位和夫委員長＝2020年7月15日、党本部

お集まりいただいたみなさん、インターネット中継をご覧の全国のみなさん、こんばんは（「こんばんは」の声）。ご紹介いただきました日本共産党の志位和夫でございます。今日は、私たちの記念講演会にお越しいただき、またオンラインでご覧いただき、ありがとうございます。また、今ご紹介させていただきましたが、各界の4人の友人の方々から温かいメッセージを寄せていただきました。心からお礼を申し上げます。（拍手）

冒頭、新型コロナウイルス感染症によって亡くなられた方々への心からの哀悼を申し上げるとともに、闘病中の方々にお見舞いを申し上げます。医療従事者をはじめ、危機のもと献身的に奮闘されている方々に敬意と感謝を表します。

また、この間の豪雨災害で犠牲になった方々に心からのお悔やみを申し上げるとともに、被災された方々にお見舞いを申し上げます。コロナと豪雨という二重の災害のもと、救援と復興に全力をつくす決意を表明するものです。

はじめに――コロナ危機を体験して、新しい社会への模索が

みなさん。私たちは、日本共産党創立98周年の記念日を、新型コロナウイルス感染症のパンデミック――世界的大流行のさなかに迎えました。

新型コロナ危機の現局面は、国内では、東京などを中心に感染の再拡大という重大な事態に直面しています。徹底した補償と一体で地域や業種を限定して休業要請を行うこと、PCR検査の抜本的な拡大をはかること、医療機関への損失補填も含め医療供給体制の強化に取り組むことが、急務となっています。

世界では、なお感染が急速に拡大し、とくに南北アメリカ、南アジア、アフリカでの感染拡大はきわめて憂慮すべき状態にあります。

日本共産党は、戦後最悪の感染症の大流行にさいし、国民の苦難の軽減という「立党の精神」にたった取り組みに力をつくし、世論や運動と連携して、国政でも地方政治でもコロナ対策を前に動かす大きな役割を果たしてきました。引き続き、国民の命と暮らしを守りぬくために、全力をあげて奮闘する決意を、まず表明したいと思います。(拍手)

みなさん。新型コロナ危機は、世界でも日本でも、社会の脆弱さ、矛盾を明るみに出しました。危機を体験して、新しい社会への模索が起こっています。「こんな政治でいいのか」「こんな社会でいいのか」という問いかけが広く起こっています。「ポストコロナ」といわれる議論が内外で起こっているのも、「こんな苦難を経験したのだから、コロナの後にはよりよい社会をつくりたい」という多くの人々の願いが反映したものではないでしょうか。

コロナ危機をのりこえてどういう社会をつくるか。今日は、今年(2020年)1月の日本共産党第28回大会で一部改定した綱領を指針に、四つの角度からお話ししたいと思います。どうか最後までよろしくお願いいたします。(拍手)

一、新自由主義の破たん――自己責任の押しつけでなく、連帯の力で未来を開こう

第1の角度は、新自由主義の破たんがすっかり明らかになったということです。

すべてを市場原理にゆだね、あらゆる規制を取り払い、資本の目先の利潤を最大化していく。社会保障をはじめ公的サービスを切り捨て、自己責任を押しつける。米国を震源地としながら、この40年あまりに新自由主義という〝疫病〟が世界にまん延しました。

この〝疫病〟が、社会全体をもろく弱いものにしてしまったことが、新型コロナ・パンデミックを通じて誰の目にも明らかになったのではないでしょうか。

世界――米国でもヨーロッパでも、新自由主義への厳しい批判がわきおこる

世界を見てみたいと思います。これまでに多くの犠牲者を出している国は、先進国では、米国、イタリア、スペイン、フランス、イギリスなどであります。その要因は国によってさまざまですが、それぞれの国内からも、新自由主義の破たんが共通して指摘されています。

米国――「新自由主義は全くの過ち、惨めな現実をつくりだした」

米国は、感染者数、死者数ともに、世界最悪の事態に陥っています。国民皆保険制度が存在しないこと、貧富の格差、構造的人種差別、そして、政治指導者の誤り、さまざまな要因が重なったことが指摘されていますが、根底にあるのは新自由主義による社会の脆弱化であります。

ノーベル経済学賞を受賞したコロンビア大学教授、ジョセフ・スティグリッツ氏は次のようにのべています。

「世界一豊かな米国ですが、コロナ禍で露呈したのは、医療現場に人工呼吸器・防護服・マスク・検査薬などの必需品が欠如しているという惨めな現実でした」「米国が右往左往しているのは、政府を弱くし過ぎたからです。その起点は１９８０年のレーガン大統領の登場。英国は前年にサッチャー首相が誕生していた。……イデオロギーは市場原理を偏重する新自由主義、政策は規制緩和・福祉削減・緊縮財政、つまり『小さな政府』。市場の規制を外し、大企業を優遇すれば、経済は活性化し、経済規模が拡大し、全体の暮らし向きが良くなるという理屈です。この路線は今日まで続き、トランプ大統領の出現に至るのです。全くの過ちです。新自由主義の名の下に富裕層が強欲な利己主義を発揮しただけです」（「読売」4月26日付）

新自由主義は「全くの過ち」、「惨めな現実」をつくりだしたとの痛烈な批判であります。

ヨーロッパ――「失敗に終わった処方箋に戻ってはならない」

ヨーロッパでも同様の批判がわきおこっています。死者の急拡大を受けて４月13日、イタリアのミラノ、オランダのアムステルダム、スペインのバルセロナ、フランスのパリ――４都市の市長が共同アピールを発表し、次のように訴えました。

「２００８年の危機（リーマン・ショック――引用者）とそれに対して行われた緊縮政策に基づいた対応は、われわれにあることを教えています。当時、危機に対して社会的な解決が行われなかったことが、公共サービスを脆弱にし、経済成長を遅らせ、社会的な不平等をつくりだしました。われわれは今でもその代償を払い続けています。諸都市は、こうした政策の結果を直接に経験しました。諸都市は、もっとも脆弱な人々のケアを行い、こうした政策が引き起こした苦しみに直面しました。今日、公共サービスはパンデミックに対して英雄的に対応していますが、切り捨て政策が原因で資源が不足し、われわれのところへは届きませんでした。われわれは失敗に終わった処方箋に戻ってはなりません。……われわれは連帯と協力の原則が圧倒的に広がるよう要求します」

大きな犠牲者を出した四つの都市の市長の「失敗に終わった処方箋に戻ってはなりません」という訴えはたいへんに痛切ではないでしょうか。

21世紀に入って、先進各国の病床数がどのようになったでしょうか。ＯＥＣＤ（経済協力開発機構）のデータで、２０００年と直近の推移を紹介します。人口10万人で、アメリカは３４９床から２７７床へ、イタリアは４７１床から３１８床へ、イギリスは４０８床から２５４床へ、フランスは７９７床から５９８床へと、軒並み６～７割台に落ち込んでいます。

新自由主義、とくに２００８年のリーマン・ショックを契機にした緊縮政策の押しつけで、コロナ危機の前から、欧州諸国の医療システムはボロボロにされており、ウイルスが襲ってきたさいに、あっという間に医療崩壊が引き起こされたのであります。

「社会というものが存在する」――新自由主義の推進者の側からも見直しが

このような政策を続けていいのか。新自由主義の推進者の側からも見直しの声が起こっています。

自身もコロナに感染し、一時は集中治療室に入った英国・ジョンソン首相が、「コロナウイルスは『社会というものがまさに存在する』ことを証明した」「われわれの国民保健サービスを守れ」と発言したことは、世界で驚きをもって受け止められました。新自由主義、「小さな政府」と自己責任押しつけの元祖――同じ保守党党首だったサッチャー元首相の「社会なんていうものは存在しない」「自分の面倒は自分で見てくれなければ困るのです」と言い放った言明を、真っ向から否定したのであります。

コロナ危機を経験して、新自由主義の居場所は、もはや世界のどこにも残されていない――このことを、ジョンソン首相の発言は、象徴的に語っているのではないでしょうか。

日本社会のあらゆる面が脆弱にされた――いまこそ新自由主義からの転換を

日本はどうでしょうか。

1980年代以降、日本にも輸入された新自由主義の路線が、社会のあらゆる分野から「ゆとり」を奪い、脆弱にしてしまったことが、コロナ危機をつうじて痛感されています。私は、そのことを医療と公衆衛生の面から指摘したいと思います。

「医療崩壊の瀬戸際」――長年にわたる医療費削減路線の結果

感染が急速に拡大した4～5月、首都圏や近畿の大都市圏、北海道や北陸で病床が逼迫し、「医療崩壊の瀬戸際」という現場からの訴えが相次ぎました。病床不足とPCR検査の大幅な遅れのもと、各地で、コロナ感染を疑われる人の〝救急たらい回し〟や〝手遅れ死〟が発生しました。医療従事者と入院患者の院内感染が200を超える施設で起こり、地域の医療体制はますます逼迫していきました。

深刻なことは、5月10日時点の日本国内の感染者は約1万5000人で、フランスやドイツの10分の1、イタリアやスペインの15分の1ほどだったにもかかわらず、「医療崩壊の瀬戸際」の危機的事態が生じたことです。

日本のICU（集中治療室）は、人口10万人あたりわずか5床にすぎず、ドイツの6分の1、医療崩壊が起こったとされるイタリアの半分以下、ぞっとするほど少ない。日本の医師数は、人口1000人あたり2・4人で、OECD加盟36カ国中32位、OECDの平均からみると14万人の医師が足らない水準にあります。日本で4～5月の感染者がもう少し多かったら、欧米諸国のような大量の犠牲者が出た危険性があったことを、今後の、そしてまさに今の強い戒めにしなくてはならないのではないでしょうか。

私は、全国1600の病院が加入する全国公私病院連盟の邉見公雄会長に、直接お話を伺う機会がありましたが、邉見会長が訴えていたのは、「医療には本来、ゆとりが必要だが、それがまったくない。そこにコロナが襲ってきた」、そのことが深刻な状況をもたらしているということでした。邉見会長は、「しんぶん赤旗」のインタビュー（5月3日付）で次のようにのべています。

「本来、医療には緊急時のための〝余裕〟がないといけません。しかし国は『効率至上主義』で、病院のベッドを常に入院患者でいっぱいにしないといかんような診療報酬にしてしまいました。……特に国は〝自治体病院に投入している税金は無駄だ〟みたいなことばかり言って、地域医療構想などで自治体病院をさらに減らそうとしています。こういう緊急時になると『頑張れ』と言いますが、いつも手足をくくられて仕事をしているような状況です。国の効率至上主義のもとで医師の総数は足りないままです。国が感染症対策を軽視してきたため、感染症を治療する診療科の医師や専門家も減っています。すべてが今回の新型コロナの問題につながっています」

「いつも手足をくくられて仕事をしているような状況」――痛烈な訴えです。

邉見会長がのべているように、コロナ危機で浮き彫りになった日本の医療の脆弱性は、長年にわたって医療費削減を強引に進めてきた結果にほかなりません。

その起点は、日本で最初の新自由主義「改革」となった1980年代の「臨調行革」でした。1983年、当時の厚生省は、「このまま医療費が増え続ければ、国家がつぶれる」という「医療費亡国論」を唱え、医療費を削ることこそ「よい政治」だとして推進する暴政にかじを切りました。その結果、コロナ危機で明らかになったように、ベッドも、医師も、看護師も不足し、「医療崩壊の瀬戸際」に追い込まれ、病院・診療所が経営危機にひんするという、異常事態に陥ったのであります。まさにこのような政治こそ、「亡国の政治」ではないでしょうか。

長年にわたる医療費削減路線を、充実へと抜本的に切り替えることは、感染拡大の「第2波」に対応するうえでも、日本の未来にとっても文字通りの急務であることを、強調したいと思うのであります。（拍手）

保健所の深刻な疲弊――新自由主義によるリストラが招いた

公衆衛生では、感染症対策を最前線で担っている保健所が、深刻な疲弊状態に陥りました。

今回のコロナ危機にさいして、全国の保健所の職員のみなさんは、不眠不休の大奮闘をしています。私は、職員の方から直接お話を伺う機会がありましたが、お聞きしますと、朝から夕刻まで、ＰＣＲ検査の相談、入院などのあっせん、検体の搬送などに忙殺され、夕刻から深夜にかけては感染者の追跡調査――サーベイランスを行う、過酷な職場の実態が訴えられました。「電話がつながらない」「ＰＣＲ検査が受けられない」など、パンク状態に陥ったのであります。

これは、新自由主義によるリストラ

が、この分野にも及んだ結果でした。１９９０年代の地域保健法による「業務効率化」や、２０００年代の「地方分権改革」による国の責任後退のもとで、全国の保健所数は１９９０年の８５０カ所から、２０１９年には４７２カ所へと激減しました。

もともと日本の保健所は、結核に苦しんだ長い歴史のなかで、結核対策を主な任務として全国につくられたものでした。日本のコロナ対策は、いわゆる「クラスター対策」によって流行拡大を抑止することを方針の柱にすえましたが、それは半分に減らされながらも、保健所の全国網が残されていたことによって、かろうじて可能になったものでした。

「第２波」への対応を考えても、また世界的な感染症の多発という新しい状況のもとで、保健所体制の抜本的強化は急務であることを、強く訴えたいと思います。

党創立98周年記念講演会オンラインで講演する志位和夫委員長＝２０２０年７月15日、党本部

新自由主義からの転換を野党共闘の旗印に掲げ、野党連合政権への道を開こう

医療と公衆衛生の問題を見てきましたが、新自由主義による社会の脆弱化は、介護、障害福祉、保育、雇用、経済、教育など、あらゆる分野におよんでいます。コロナ危機のもとでそれが明瞭になるもとで、日本でもこれまでにない幅広い人々から、新自由主義批判と、この路線からの転換を求める声が起こっています。

私は、５月28日、「アフターコロナの政治を若者はどう見るべきか」をテーマにしたオンラインイベントに出演する機会があり、立憲民主党の枝野幸男代表とネットで対談しました。その場で私は、「コロナ危機のもとで、世界でも日本でも新自由主義が破たんしました。そのことを多くの人々が感じはじめています。ポストコロナを展望して、自己責任でなく、人々が支え合う社会をめざし、野党共闘の旗印としても、豊かなビジョンをつくりたい」とのべました。

枝野代表は、医療切り捨てについて、「共産党さんが一番早い段階からしっかり（批判を）言ってきた」と評価しつつ、新自由主義を強く批判し、「自己責任から抜け出し、人々が支え合い、適切な再配分を行う社会と政治のあり方が必要です」と強調しました。

新自由主義に反対し、連帯の力で未来を開くという方向での一致が得られたことは、重要な前進ではないでしょうか。

私は、心から訴えます。新型コロナ危機の体験をふまえ、新自由主義からの転換という旗印を、市民と野党の共闘の旗印に掲げ、共闘をさらに豊かに力強く発展させ、野党連合政権への道を開こうではありませんか。（拍手）

コロナ危機を克服してどういう日本をつくるか ——七つの提案

コロナ後には前の社会に戻るのでなく、よりよい未来をつくろう

それでは、新自由主義を終わりにして、どういう日本をつくるか。

多くの国民のみなさんは、コロナ危機という共通の体験をふまえて、「コロナ後には前の社会に戻るのでなく、よりよい未来をつくりたい」と切実に願っていると思います。私は、この機会に、コロナ危機をのりこえた先に、次の方向で新しい日本をつくることを提案したいと思います。

——第一は、ケアに手厚い社会をつくるということです。コロナ危機が明らかにしたのは、人間は一人では生きていけない、他者によるケアなしには尊厳ある生活は保障されないということでした。にもかかわらず、日本では、医療、介護、障害福祉、保育など、ケア労働——命を守る仕事が重視されず、粗末に扱われているということでした。

医療従事者には平素からきわめて過酷な長時間労働が強いられています。介護・障害福祉・保育では、労働者平均より月10万円も賃金が低く、低賃金による「人手不足」が深刻です。「医療や介護従事者などに感謝する」と言うのであれば、こういう現状こそあらためなければならないのではないでしょうか。

国全体でみても、日本の社会支出（社会保障等に対する公的支出）は、対GDP比22・7％で、ドイツの27・0％やスウェーデンの26・7％の8割、フランスの32・2％の7割の水準にあります。こうした貧しい現状では、危機に対応できないことが、いやというほど実感されたのではないでしょうか。みなさん、命を守るケアに手厚い社会をつくろうではありませんか。（拍手）

——第二は、人間らしく働ける労働のルールをつくるということです。コロナ危機のもと、数百万人という膨大な休業

者が生まれていますが、その半数は、派遣、パート、アルバイトなどの非正規雇用労働者です。失業者の多くも非正規雇用労働者です。また、フリーランスで働く多くの人々は甚大な打撃を受けています。

１９９０年代に始まる新自由主義による労働法制の規制緩和が、多くの働く人々を危機に脆弱な立場に追いやっているのであります。この路線を抜本的に見直し、労働者の権利が守られ、大企業に責任を果たさせる労働のルールをつくろうではありませんか。みなさん、今こそ、8時間働けばふつうに暮らせる社会をつくろうではありませんか。（拍手）

――**第三は、一人ひとりの学びを保障する社会をつくる**ということです。コロナ危機のもと、「40人学級」の矛盾が噴き出しました。子どもたちに学び、心のケア、安全を保障するうえで、20人程度の少人数学級の実現は急務となっています。みなさん、学校の教員とスタッフを抜本的に増やし、長期の休校でつらい思いをさせた子どもたちに、少人数学級をプレゼントしようではありませんか。（拍手）

コロナ危機による学生生活の危機は深刻であり、学費半減に踏み切ることを強く求めます。教育への対ＧＤＰ比公的支出は、日本は2・9％、ＯＥＣＤ35カ国中、最下位であります。これを平均の4・0％まで引き上げれば、教員を大幅に増やし、学費を半分にすることは、十分に実行できます。

――**第四は、危機にゆとりをもって対応できる強い経済をつくる**ということです。コロナ危機によって、ヒトとモノの流れが止まると、内需と家計を犠牲にしながら、〝外需だのみ〟〝インバウンド（訪日外国人観光客）だのみ〟を続けてきた経済の脆弱さが露呈しました。医療用マスク・防護服をはじめ人々のケアに必要な物資、食料、エネルギーを海外に頼ってきた経済のあり方も、この機会に見直されるべきではないでしょうか。

内需と家計、中小企業を経済政策の軸にすえる、人間の命にとって必要不可欠なものは可能なかぎり自分の国でつくる――みなさん、国民を危機から守ることができる本当の意味での強い経済への転換が求められているのではないでしょうか。（拍手）

――**第五は、科学を尊重し、国民に信頼される政治をつくる**ということです。コロナ危機では、「消毒液の注射」を提案したトランプ米大統領をはじめ、科学を軽視する政治指導者の弊害が深刻な形であらわれました。

安倍首相もこの点では人後に落ちません。２０１０年に発表された政府の『新型インフルエンザ対策総括会議報告書』に明記された、感染症対策の組織や人員体制の強化、ＰＣＲ検査体制の強化などの科学的提起は、ことごとく無視されました。全国一律休校要請、「アベノマスク」など、科学的知見を無視した思いつきの対応が、混乱と不信を招きました。科学を尊重し、国民に信頼される政治をつくることは、コロナ危機の痛切な教訓ではないでしょうか。

――**第六は、文化・芸術を大切にする国をつくる**ということです。イベント関係者は6900億円もの損失を出しながら、のべ2億人以上の人々の足を止め、巨大な社会的貢献を行いました。にもかかわらず、支援はわずかにとどまっています。

その根っこには、フランスの9分の1、韓国の10分の1という文化予算の貧困があります。さらに、ドイツの文化大臣が「文化・芸術はぜいたく品でなく、人間が生きていくうえで必要不可欠」とのべ「無制限の支援」を表明したこととは対照的な、「文化に対する思想の貧困」があるのではないでしょうか。

文化・芸術が、どんなに大切なものかは、新型コロナ危機で自粛が強いられるもとで、多くの国民のみなさんが実感されていることではないでしょうか。みなさん、文化・芸術を、人間が生きるうえでなくてはならない糧として、大切に守り、育てる国をつくろうではありませんか。（拍手）

――第七は、ジェンダー平等社会をつくるということです。コロナ危機は、「ジェンダー平等後進国」・日本の実態を暴き出しました。ケア労働、非正規労働の多くを担っている女性に、より大きな困難と犠牲が押しつけられました。自粛要請のもと、DV（ドメスティック・バイオレンス）や虐待が深刻化しました。

政治の対応の深刻な問題点となったのは、一律10万円給付の受取人を「世帯主」としたことです。戦前の封建的な「家制度」の「戸主」を引き継ぎ、法律の裏付けもなく、日本国憲法の理念にも反する「世帯主」規定を廃止することを、日本共産党は、この機会に強く求めるものであります。（拍手）

コロナ危機への対応のあらゆる面で、ジェンダーの視点を貫き、危機の先に、ジェンダー平等社会を築くために力をあわせようではありませんか。

以上の七つの提案、いかがでしょうか。（拍手）

これらの七つの提案を貫く考え方は、経済効率のみを最優先する政治から、人間のケア、雇用、教育、食料、エネルギー、文化・芸術など、人間が生きていくために必要不可欠のものを最優先する政治に切り替えようということであります。人々の間に分断をもちこむ自己責任の押しつけでなく、人々が支え合う社会、連帯を大切にする社会をつくろうということであります。それは、感染症やさまざまな自然災害に強い日本をつくるということにもなります。

私は、心から呼びかけます。こうした方向を、市民と野党の共闘が共有し、コロナ危機をのりこえた先には、みんなが希望をもって生きることができる新しい日本を、みんなの力でつくろうではありませんか。（拍手）

「財界中心」「米国言いなり」政治をただし、日本の政治の根本的変革を

みなさん。いまお話しした七つの提案は、日本の政治の二つのゆがみと深いか

かわりがあります。

社会保障を切り捨て、人間らしい雇用を壊し、日本経済を危機に対応できない脆弱なものとしてしまった根本には、国民の暮らしを守るルールがないか、あっても弱い、「ルールなき資本主義」といわれる「財界中心」の政治の異常なゆがみがあります。社会的連帯の力でこのゆがみをただし、「ルールある経済社会」を築こうではありませんか。

新自由主義の震源地はアメリカであり、アメリカに言われるままに多国籍企業のもうけのための規制緩和を続けてきた結果が、今日の危機を招いています。コロナ危機のもとでも辺野古新基地建設を続け、米国製の超高額兵器を「爆買い」し、在日米軍基地には日本政府の検疫が及ばず感染症対策のブラックボックスになっている――日米安保条約を中心にした異常な米国追随の政治をただすべき時ではないでしょうか。（拍手）

私たちの日本共産党綱領は、異常な「財界中心」「米国言いなり」の政治をただして、「国民が主人公」の日本をつくることを、日本改革の大目標にすえています。みなさん、コロナ危機をのりこえ、人々の連帯の力で、日本の政治の根本的変革に向かって進もうではありませんか。（拍手）

二、資本主義という体制そのものが問われている

第2の角度は、世界資本主義の矛盾という角度であります。

改定綱領では、世界資本主義の矛盾の集中点として、「貧富の格差の世界的規模での空前の拡大」、「地球的規模でさまざまな災厄をもたらしつつある気候変動」の二つを特記しました。

新型コロナ・パンデミックのもとで、改定綱領が特記した格差拡大と環境破壊という世界資本主義の二つの矛盾が、いかに深刻な矛盾かが明らかになりました。パンデミックは、資本主義というシステムをこのまま続けていいのかという重大な問いを、人類に突きつけているのであります。

格差拡大は、パンデミックのもとで急速に加速している

格差拡大は、パンデミックのもとで急速に加速しています。富める者はより富み、貧しい者はより貧しくなっています。

貧困層は一番の犠牲を負わされ、富裕層の資産はあっという間に急増・回復した

一番の犠牲となっているのは、貧困のもとに置かれている人々です。

貧困層ほど死者が多い――所得の格差が「命の格差」に直結していることが、世界中で大問題となっています。アメリカでは、所得の格差に、構造的な人種差別が拍車をかけています。貧困、雇用、住宅、健康など、さまざまな面での黒人やマイノリティーへの不平等が、感染リスクや重症化リスクを高めています。米国のブルッキングス研究所の集計によりますと、黒人やラテン・ヒスパニック系の死亡率は、45歳から54歳では、白人の実に6倍以上にのぼっています。

日本でも、より弱い立場の人々ほど打撃を受け、困窮に突き落とされています。コロナ危機は、ネットカフェ難民を路上生活に追い出し、非正規雇用やフリーランスで働く人、ひとり親世帯から仕事と収入を奪っています。

他方、富裕層は、コロナ危機の当初、株価の急落で一時的には打撃を受けましたが、各国政府・中央銀行が強力な資金供給を行ったことにより、株価は急速に回復し、富裕層の資産は急増しました。

米誌『フォーブス』の「世界の富豪」リストから試算すると、世界のビリオネア＝資産10億ドル以上の億万長者の資産の合計は、3月18日時点で8兆ドルだったのが、わずか4カ月後の7月10日時点で10・2兆ドルへと、2・2兆ドル＝約230兆円も増えています。世界の多くの人々がコロナで苦しむなかで、富裕層はあっという間に資産を急増させ、打撃を回復したのであります。

7月13日、世界の富豪83人が、「私たちに大幅な課税を」という訴えを出しました。そういう方向に進むのが当たり前ではないでしょうか。

途上国は、他の感染症への追い打ち、貧困の悪化、食糧危機に苦しんでいる

先進国と途上国の格差拡大の矛盾も、パンデミックのもとで噴き出しています。

アフリカをはじめ途上国の多くでは、今もなお、マラリア、結核、エイズ（後天性免疫不全症候群）の三大感染症に苦しんでいますが、新型コロナ・パンデミックはそれに追い打ちをかける深刻な事態をつくりだしています。WHO（世界保健機関）はウイルス封じ込めのためのロックダウン（都市封鎖）を行うと、三大感染症による死者がそれぞれ数十万人以上増えると警告しています。

貧困の悪化、食糧危機も強く懸念されています。世界銀行は世界中でおよそ4000万人から6000万人が極度の

貧困に陥る可能性があると警告しており、中でもサハラ以南のアフリカは最も甚大な被害を受け、次いで南アジアで被害が甚大になると予測しています。世界食糧計画（ＷＦＰ）は、直接的な措置が取られない限り、２億６５００万人が危機的なレベルの飢餓に直面することになると危惧しています。

ＷＨＯシニアアドバイザーの進藤奈邦子医師は、世界、そして日本がアフリカの現実を直視しなければ危機の連鎖が加速すると、次のように訴えました。

「今後も国際協力がうまくいかないと、アフリカで新型コロナがまん延する可能性があります。アフリカでまん延するということは、世界中が危険にさらされているという状況なのです。日本に直接アフリカから人が来なくても、感染症は、いろいろな中継点を通って、人を伝ってくるわけですので、アフリカで感染のまん延の可能性がある限り、日本も感染のリスクに常にさらされているということがいえると思います」（６月27日に放映された『ＮＨＫスペシャル』――「新型コロナウイルス　危機は繰り返されるのか　パンデミックの行方」のインタビューで）

重大な警告であります。他の感染症、貧困、飢餓に苦しむ途上国への国際支援は、文字通りの急務となっていることを、私は、強く訴えたいと思います。

新しい感染症の多発と地球環境破壊――資本主義による「物質代謝の攪乱」

資本主義の体制的矛盾のもう一つの重大なあらわれ――地球的規模での環境破壊と、感染症のパンデミックとは深いかかわりがあります。

新しい感染症――環境破壊によって動物がもっているウイルスが人間に

人類の歴史のなかで、感染症の流行は、人類が定住生活を始めた時以来のものといわれています。

ただ、この半世紀くらいは、新しい感染症がつぎつぎと出現しています。

エイズ、エボラ出血熱、ＳＡＲＳ（重症急性呼吸器症候群）、鳥インフルエンザ、ニパウイルス感染症、腸管出血性大腸菌感染症、ウエストナイル熱、ラッサ熱、新型コロナウイルス感染症などです。厚生労働省によると、この30年間に少なくとも30の感染症が新たに出現しているとのことです。出現頻度が高すぎる――これが多くの専門家の指摘であります。

この要因はどこにあるでしょうか。多くの専門家が共通して指摘するのは、人間による生態系への無秩序な進出、熱帯雨林の破壊、地球温暖化、それらによる野生生物の生息域の縮小などによって、人間と動物の距離が縮まり、動物がもっていたウイルスが人間に移ってくる、そのことによって新しい感染症が出現しているということです。

世界自然保護基金（ＷＷＦ）の告発と「ワンヘルス」アプローチの呼びかけ

それでは、どのような形で動物から人間へとウイルスが移ってきているのでしょうか。

世界約１００カ国以上で活動しているＮＧＯ・世界自然保護基金（ＷＷＦ）は、6月17日、次のパンデミックを防ぐための緊急行動を呼びかける「報告書」を発表しています。次のパンデミックを防ぐ、すなわち新型コロナ・パンデミックの次のパンデミックを、何としても防がなければならないという「報告書」です。そのなかで、動物由来感染症の主要な要因として次の三つの点を指摘しています。

――一つは、**森林破壊などにより生じた新たな病原体との接触**です。ＷＷＦの「報告書」はエボラ出血熱の起源についてこう指摘しています。「多くの研究者は、西・中央アフリカの森林減少率とエボラ出血熱発生の増加を直接結びつけている。……西アフリカにまたがるギニアの森林では、カカオ、パーム油、ゴムなどの農産物の栽培により、大規模な森林伐採が行われ、森林の分断が広がっている。世界の熱帯林の20％を占めるコンゴ盆地では、農業用の零細農家の森林伐採や大規模な商業伐採の増加により、年間１００万㌶以上の樹木が失われている。……研究者たちは、これらの地域での大規模な森林伐採により、人間とオオコウモリや霊長類などの潜在的なエボラ宿主種との接触が増加し、宿主から人間への感染の可能性が高まると考えている」

――二つは、**自然との調和を欠いた農業や畜産の拡大**です。ＷＷＦの「報告書」は、１９９８年のマレーシアでのニパウイルス感染症――重い脳炎を引き起こす感染症の大流行について、次のようにのべています。「１９７０年代から１９９０年代にかけて、マレーシアでは豚とマンゴーの両方の生産が3倍に増加し、自然の生態系に侵入した。農家は通常、豚の囲いの横にマンゴーの木を植えていたが、これがオオコウモリを引き寄せた。科学者たちは、豚がコウモリの唾液や尿で汚染された果物を食べたことで、ウイルスが拡散したのではないかと考えている」。こうして数千頭の豚が飼育されていた農場で、人間への感染が広がったのであります。

――三つは、**病原体を拡散させる野生生物の取引**です。ＷＷＦの「報告書」は、２００２年に中国から流行が広がったＳＡＲＳの発生について、次のように指摘しています。「決定的な証拠はないが、この病気の初期発生は、広東省の野生動物市場で感染したジャコウネコやタヌキと人間が接触したことが原因である可能性が高い。……またSARSの発生は、野生の小型肉食哺乳類の違法取引と関連しているという研究もある」

こうした三つの点を具体的に告発しているわけですが、これらのどれもが、人間による無秩序な生態系への侵入、環境破壊が、新たな感染症をもたらしたことを示しています。コウモリがよく登場します。コウモリは「ウイルスの貯水池」と呼ばれるように、たくさんの感染症を媒介している動物ですが、生態系のなかで重要な役割を果たしており、害虫を食べる益獣とも呼ばれています。コウモリからすれば人間から離れて暮らしていたのに開発ですみかを追われる。あげくのはてに捕獲されて市場で取引される。迷惑な話なのです。人間の側の行動に問題があるのです。

新型コロナウイルスの発生源は、いまだに特定されていませんが、同様の流れのなかで出現したと考えられています。

ここには、最大の利潤を得るためには生態系の破壊もためらわない資本主義という体制そのものの矛盾が深刻な形で現れているではありませんか。

WWFは、「報告書」のなかで、次のパンデミックを防ぐうえで、健全な環境、人間の健康、動物の健康を、一つの健康と考える「ワンヘルス」アプローチを提起しています。具体的には、①感染症を拡散させる恐れのある野生生物の取引と消費を抑制すること、②森林破壊を防ぎ土地利用の転換を抑制すること、③持続可能な食糧の生産と消費が可能な社会に移行する必要性を訴えています。

動物とヒトとそれをとりまく生態系の健康を、一つの健康ととらえる「ワンヘルス」アプローチは、地球の未来、人類の未来にとってきわめて重要な考え方ではないでしょうか。私は、国際社会が、新型コロナ・パンデミックの経験をふまえて、次のパンデミックを防ぐために緊急の行動に取り組むことを、強く呼びかけたいと思います。（拍手）

資本主義のもとでの利潤第一主義が、ウイルスとヒトとのバランスを壊している

マルクスは、『資本論』のなかで、人間の生産活動、経済活動を、自然と人間との「物質代謝」のなかに位置づけるとともに、資本主義的生産が、利潤第一主義による産業活動によって、人間と自然との「物質代謝」を「攪乱（かくらん）」するという告発を行いました。

私は、資本主義的生産による「物質代謝の攪乱」という点で、地球的規模の気候変動と、新しい感染症の多発は、同じ根をもっていると考えます。

気候変動が数十年という時間をかけていま現れているのに対して、感染症がグローバル化した世界のもとで瞬時にパンデミックとして現れるという違いはありますが、どちらもその根本には、資本主義のもとでの利潤第一主義による自然環境の破壊という大問題が横たわっています。

くわえて、地球温暖化そのものが、動

物の分布を変え、永久凍土を溶かし、新しい感染症が出現する危険を大幅に増やすことも、警告されています。

長崎大学熱帯医学研究所の山本太郎教授は、ウイルスとヒトとの関係について、次のようにのべています。

「大半のウイルスは、ヒトと共生している。ある種の内在性ウイルスは、そのウイルスが由来する外来性ウイルス感染症に対し保護的に働いているという報告もある。内在性ウイルスとは、過去に感染したウイルスが宿主に組み込まれた、その断片をいう。さらにいえば、近年の研究は、ウイルスが哺乳動物において胎児を保護する役割を果たす可能性さえ示唆する。……海洋には膨大なウイルスが見つかってきており、そうしたウイルスの存在が、二酸化炭素の循環や雲の形成にも関わっているという研究結果もある。ウイルスは数十億年にわたって、あらゆる試行錯誤を通して、生態系のなかで複雑で強固なネットワークを構築してきた。それは地球上のすべての生命を支える基本構造の一つともなっている」

（『世界』7月号）

大切な視点だと思います。ここでは「ウイルスが哺乳動物において胎児を保護する役割を果たす可能性」という指摘も出てきます。哺乳類の胎児というのは母親の胎内にいるわけですが、遺伝子の半分は父親のものです。にもかかわらずなぜ免疫反応で拒絶されないのか。長い間、謎だったそうです。それが最近、あるウイルスの働きで守られていたことが明らかにされたと、報じられました。この面からも、ウイルスなしには、人間も、哺乳類も、存在できないのです。

こうして、ウイルスは、数十億年の歴史をへて生態系のなかでネットワークを構築し、ヒトともあるバランスのなかで共生の関係をつくってきました。ところが、資本主義のもとでの利潤第一主義は、このバランスを壊し、新しい感染症をつぎつぎに出現させるにいたっています。

その意味で、新型コロナ・パンデミックは、人類への重大な警告だといえるでしょう。それは、これまでと同じ生産様式を続けるならば、次のパンデミック——より恐ろしいパンデミックは避けられないという警告であります。

自らの利潤のためには自然環境を壊してはばからない、資本主義というシステムを続けていいのかという重大な問いが、いま人類に対して突きつけられているのではないでしょうか。

「資本主義の限界」が語られ、社会主義への希望が広がっている

いま注目すべきは、新型コロナ・パンデミックによって、格差拡大と環境破壊という二つの矛盾の集中点で、世界資本主義の矛盾が深刻化するもとで、さまざまな形で「資本主義の限界」が語られ、この制度を乗り越えた社会主義への希望

が語られていることです。

「誰もが資本主義は限界だと感じているのではないか」（京大総長・山極寿一氏）

ゴリラなど霊長類の研究で著名な京都大学総長・日本学術会議会長の山極寿一（やまぎわじゆいち）氏は、「しんぶん赤旗」のインタビュー（6月20日付）で次のように語りました。

「（新しい感染症は）人間がこれまで安定していた生態系を開発によって破壊を進めたために起きています。問題は、利潤をあくまで追求し、利潤を将来の投資に向けるという資本主義の原則です。資本主義はそのための自然破壊をためらわないのです。資本主義は、自然が〝文句〟を言わないために、自然を『搾取』してもいいと考えます。……先進国の中に、発展途上国の手つかずの自然資源を利用して利潤を上げようとしている国がありあます。違うやり方を入れていかないと世界はもたないと思います。コロナ禍のもとで、誰もが資本主義は限界だと感じているのではないでしょうか」

「自然が〝文句〟を言わない」からと好き勝手をやっている、そんなシステムでいいのか。アフリカに何度も足を運び、霊長類の研究を続けてきた山極教授の「誰もが資本主義は限界だと感じているのではないか」という問いかけは重いものがあるのではないでしょうか。

米国の若者のなかで、「社会主義」賛成が「資本主義」賛成を上回った

いま一つ、紹介したいのは、米誌『フォーブス』（5月26日付）が紹介しているアメリカの若者層の意識の変化です。同誌の記事は、「世界は第2次世界大戦以来経験したものとは異なるペースで変化している。ほんの数週間のうちに、われわれが働き、学び、そして取引する方法に、永続的な地殻変動が起きた。最も重要な変化は、われわれの経済システム自体で起きている」とのべ、次のように続けています。

「資本主義は、コロナウイルスがパンデミックを起こす前からすでに緊張にさらされていた。……アメリカ人の多くが、システムが不正だと感じ、勤勉とルール順守はもはや成功を保障しない、と訴えていた。……これらの感情は今春、特に若者の間で加速している。2月の終わり、新型コロナ時代前の最後の週に、フォーブスは30歳未満のアメリカ人成人1000人を対象に資本主義と社会主義について調査した。半分は前者を支持し、43％が後者を肯定的に評価した。10週間後（8万人が死亡し、2000万人が失業した後）、再び調査したところ、結果は悲惨だった。47％が社会主義に賛成し、46％が資本主義に賛成していた。普遍的な最低所得保障、家賃免除、雇用

保障などの考えが周辺から主流に急速に移行し、これらの感情変化が大衆的に広まっているのがわかる」

新型コロナ危機を体験して、米国の若者のなかで、「社会主義」への賛成が「資本主義」への賛成をついに上回ったというのです。「資本主義」を乗り越えた先の社会――「社会主義」への期待が、急速に「主流」へと変化した。『フォーブス』は、このことを「悲惨」とのべましたが、私たちにとっては希望ある出来事ではないでしょうか。（拍手）

社会主義・共産主義に進むことにこそ、問題の根本的解決の展望がある

格差拡大と環境破壊の二つの大問題は、人類の生存にかかわる緊急課題であり、もとより資本主義の枠内でも解決のための最大の努力を注がなければなりません。

同時に、資本主義を乗り越えた未来社会――社会主義・共産主義に進むことは、これらの矛盾の根本的解決に道を開くことになります。マルクスが『資本論』でのべたように、格差問題の根本的解決の展望が開かれ、人間と環境の関係は合理的なバランスを取り戻すことになるでしょう。

先ほどご紹介させていただきましたが、慶応大学名誉教授の小林節さんは、私たちの記念講演会に寄せていただいたメッセージのなかで、「まさにいまこそ、共産主義が正当に評価されるべき時が来ていると思います」と言われました。小林節さんから、共産主義がこのような形で評価される日がくるとはと、たいへんうれしい思いであります。

全国のみなさん。社会主義・共産主義に進むことにこそ、いま人類社会の抱えている焦眉の問題の根本的解決の展望がある――この希望を大いに語り広げようではありませんか。（拍手）

三、国際社会の対応力が試されている――諸政府と市民社会の連帯で危機の克服を

第3の角度は、新型コロナ・パンデミックに国際社会がどう対応するかという問題です。

米国と中国の体制的矛盾が噴き出し、対立が深刻になっている

いま重大なのは、パンデミックのなかで、米国と中国の体制的な矛盾が噴き出し、両者の対立が深刻になっていることであります。

米国・トランプ政権――「自国第一主義」で国際協力に背を向ける

一方で、世界最大の資本主義大国であるアメリカ・トランプ政権は、「自国第一主義」の立場にたち、国際的な協力によってパンデミックを克服する取り組みに背を向けています。とりわけWHOからの脱退を通知したことは、国際協力に大きな障害をもちこむとともに、アメリカへの信頼を失墜させています。WHOの新型コロナへの対応に検証すべき問題点があったとしても、それは国際協力を強めるという立場で行われるべきであって、脱退という選択は愚かというほかありません。

くわえて構造的な黒人差別が、コロナ危機のもとで重大問題となっています。警官によるジョージ・フロイド氏の暴行死事件に対し、米国内外で激しい怒りが広がりましたが、トランプ大統領のとった態度は、差別根絶と社会の結束をめざすどころか、分断と対立をあおるというものでした。

4月2日に採択された新型コロナウイルスに関する国連総会決議は、次のようにのべています。「人権の完全な尊重の必要性を強調し、人種差別、排外主義もいかなる形態の差別、人種差別、排外主義もパンデミック対応ではあってはならない」。これが世界の総意であります。米国・トランプ政権の態度は、この国連総会決議の精神に反するものであり、国際協力にとって重大な障害をもたらすものにほかなりません。

私は、トランプ政権に対し、WHOからの脱退の決定を撤回することを、強く求めるものであります。（拍手）

中国――人権侵害と覇権主義という体制的問題点がむき出しになった

他方で、世界第2の経済大国である中国は、人権侵害と覇権主義という体制的問題点が、パンデミックを通じてむき出しになりました。

コロナ対応の初動の遅れは、人権の欠如という体制の問題点と深く結びついた

ものでした。1月初旬までに、武漢の研究所は、遺伝子の配列を解読し、報告書を提出しましたが、中央政府は許可なく情報を公表することを禁じました。人命に関わることと、やむにやまれず警鐘を鳴らした何人もの医師、ジャーナリストが、「デマ拡散者」として弾圧されました。情報を隠蔽（いんぺい）したまま、1月中旬には、武漢で数万人規模の行事を行うとともに、「春節」による大規模な人の移動を許しました。これらが感染を国内外に拡大する結果となったことは明らかであり、その責任は重いものがあります。

2003年、SARS流行にさいして、当時の胡錦濤主席は、APEC首脳会議後の記者会見で、「国際社会に拡散させたのなら、世界の人々に申し訳なかった」と反省を表明したものでした。ところがいま、中国の習近平指導部は、政権の対応を自画自賛するばかりで、求められている経験と教訓の共有化には後ろ向きです。こうした姿勢では、国際社会の真の信頼を得ることは決してできないでしょう。

くわえて、中国が、「香港国家安全維持法」を強行したことは、香港の市民的、政治的自由、人権と民主主義を乱暴に抑圧し、「一国二制度」の国際公約に真っ向から反する暴挙であり、パンデミック収束にむけた国際協力にも障害をもちこむものにほかなりません。日本共産党は、重ねて厳重に抗議し、その撤回を強く求めます。（拍手）

さらに、中国が、東シナ海や南シナ海での力による現状変更をめざす覇権主義的行動を、パンデミックのもとでも抑制するどころか、エスカレートさせていることも、断じて容認できません。

日本共産党がめざす社会主義・共産主義とは、人間の自由、人間の解放を、大目標としています。私は、1月の第28回党大会の綱領一部改定報告で、「中国の党は、『社会主義』『共産党』を名乗っていますが、その大国主義・覇権主義、人権侵害の行動は、『社会主義』とは無縁であり、『共産党』の名に値しません」と指摘しました。コロナ危機のもとでの中国の無法と横暴を踏まえ、私は、この指摘を、重ねて強調しておきたいと思うのであります。（拍手）

パンデミック収束へ――国際社会の連帯と協力を呼びかける

国際社会の連帯と協力は、一歩一歩、前進している

米国と中国のいまお話ししたような状況のもとで、国際協力には望みがないのか。そんなことはありません。いま注目すべきは、米国と中国によってさまざま

な障害がもちこまれるもとでも、パンデミック収束にむけた国際社会の連帯と協力が、一歩一歩、前進しているということです。

志位和夫委員長の講演を聞く人たち
＝2020年7月15日、党本部

4月2日、国連総会は、決議「新型コロナウイルスとたたかう地球的連帯」をコンセンサス（一致点）で採択しました。5月19日、WHO総会は、曲折はありましたけれども、決議「新型コロナウイルスへの対応」を全会一致で採択しました。さらに、7月1日、国連安全保障理事会は、世界的な即時停戦を呼びかける決議を、全会一致で採択しました。日本を含む15の国の科学者団体――学術会議やアカデミーは、国際協力の緊急的必要性を訴える呼びかけを行いました。

米中によって障害がもちこまれるもとでも、ヨーロッパ各国、オセアニア、ASEAN（東南アジア諸国連合）をはじめアジア諸国の努力によって、そして何よりも疫病に苦しむ全世界の民衆の声に押されて、一歩一歩、前進がつくられていることは、重要であります。

パンデミック収束への国際協力を――日本共産党の四つの呼びかけ

日本共産党は、5月21日、「パンデミック収束へ　国際社会の連帯と協力を」と題する声明を発表し、国連と世界各国に働きかけてきました。私は、この場で、次の四つの方向で、国際社会の協調した取り組みを前進させることを呼びかけます。

――第一は、医療・保健における大規模で包括的な協力であります。いまなすべき協力の内容は、米中も含めて全会一致で採択された5月19日のWHO総会決議に明記されています。パンデミックを封じ込めるためにあらゆるレベルでの共同を強化すること、ワクチンや医療物資などの安価で公平な提供、途上国や脆弱な状況に置かれている人々への人道支援の強化、公衆衛生の情報を適時・正確に共有すること、WHOの対応に関する公平・独立の調査などであります。いまなすべき協力の内容は明確であり、問われているのは、それを実行する米中両国政府も含めた各国政府の意思であることを強調したいと思います。

――第二は、途上国に対する国際的支援であります。アフリカやアジアなどの低所得国の半数近くが、対外債務による窮状に陥り、コロナ対策の予算が圧迫されています。G20は最貧国の対外債務の返済の猶予を決めましたが、国連やアフリカ連合などは、さらなる支援を呼びかけています。米国のサンダース上院議員は、世界銀行総裁とIMF（国際通貨基金）専務理事あてに、最貧国の債務免除を求める書簡を発表しました。この書簡には世界20カ国以上の300人を超える議会人が賛同しており、私も、先日、これに賛同する手紙をサンダース上院議員に送ったことを報告しておきたいと思います（拍手）。債務免除とともに、食糧支援も緊急に求められていることを強調したいと思います。

――第三は、世界の紛争地での即時停戦、核兵器廃絶をはじめ軍縮を行い、コロナ対策に力を集中することであります。パンデミックで明白になったことは、武力紛争がコロナ危機を壊滅的なものとすること、軍備増強がウイルスとたたかううえで何の意味もないことではないでしょうか。巨大な原子力空母が新型コロナの感染で動けなくなる。空母、潜水艦などがいかに脆弱かが明るみに出ました。日本共産党は、即時の世界的停戦を呼びかけた国連安保理決議を全世界が厳格に履行することを強く求めるものであります。（拍手）

韓国ではアメリカからの兵器購入の一部を先延ばしにするなど、軍事費を削りコロナ対策にあてる措置をとりました。日本でもやるべきではないですか（拍手）。辺野古新基地建設をはじめ、有害で不要不急の軍事費を削って、コロナ対策にあてよ――この声をあげようではありませんか（拍手）。被爆75周年の今年、核兵器禁止条約の発効に向けて、国際社会がさらに前進するよう、力をつくす決意を表明するものです。

――第四は、富裕層などへの課税でコロナ対策の財源をつくるなど、より公正な世界をめざすことであります。パンデミック収束のために、WHOをはじめとした国際機関は、企業に対して拠出を呼びかけています。経済学者・トマ・ピケティ氏らフランスの研究者7人は、大企業や富裕層への課税強化を提唱しています。富裕層への課税強化、国際金融取引税の導入、国際協調での法人税率の引き上げなど「税の公平」を進めるべきであります。コロナ後の世界は、古い世界に戻るのでなく、国連総会で決定された「持続可能な開発目標」（SDGs）を指針として、より公正な新しい世界をめざすべきではないでしょうか。（拍手）

感染症対策に国際協調で取り組んできた歴史――いまこそ発展させるとき

みなさん。国際社会は、政治的立場の違いを超えて、感染症対策に国際協調で取り組んできた歴史をもっています。米ソ冷戦のもとでも、１９５０年代以降、ポリオ（小児まひ）に対して、米ソは協力して生ワクチン実用化にむけた取り組みを行いました。60年代以降、天然痘根絶プログラムでも、米ソ協力が実現し、１９８０年の天然痘根絶につながりました。２０１４年のエボラ出血熱の流行のさいには、米国・オバマ政権が積極的な役割を発揮し、「国連エボラ緊急対応ミッション」が設立され、国際協調で封じ込めに成功しました。

ウイルスは簡単に国境を越えてしまいます。各国のばらばらの対応では、感染症を抑えることはできません。こうした認識のもと、政治的対立をのりこえて国際協調を発展させてきた歴史を、人類はもっているのであります。

いまこそこうした歴史を発展させるときではないでしょうか。私は、新型コロナ・パンデミックの収束にむけ、世界の多くの国ぐにの政府と市民社会の協力を発展させることを、心から訴えるものであります。（拍手）

四、人類史のなかでパンデミックを考える

パンデミックは歴史を変える契機になりうる――14世紀のペスト

最後に、第4の角度として、人類史に目を向けてみたいと思います。

人類は、その歴史のなかで、多くの感染症のパンデミックに遭遇しています。そこには多大な犠牲と苦しみが記録されていますが、パンデミックは、社会の矛盾を顕在化・激化させることによって、時として、歴史を変える契機になりうるということが言えると思います。

ペスト大流行は、ヨーロッパ中世の農奴制を没落させる一つの契機となった

その一つが、14世紀のペスト――黒死病と恐れられた疫病のパンデミックです。中央アジアから出現したペストは、ユーラシア大陸を横断し、ヨーロッパをなめつくし、ヨーロッパ人口の3分の1から4分の1が犠牲になったといわれます。

ペストは、ヨーロッパ社会に大きな影響をあたえました。当時のヨーロッパは、農奴制のもとで、貨幣経済が徐々に進行し、農奴がしだいに領主に対する人格的な隷属から解放されて、小作人や自由農民になる過程にありました。そこに猛烈なペストが襲来し、農村人口が激減しました。極端な労働力不足が発生し、農業労働者の地位が向上し、その賃金の高騰が生じました。農奴の自由農民化が進行し、14世紀末には農奴制の崩壊が進み、やがて完全に崩壊するにいたりました。こうしてヨーロッパの農奴制は没落し、中世は終わりをつげ、資本主義の扉を開くことにつながっていったのであります。

この歴史的事実をもって、「ペストが農奴制を没落させた原因だ」と結論づけることは、言い過ぎになるでしょう。病原体に社会を変革する力があるわけではありません。同時に、「ペストが農奴制を没落させる一つの契機となった」、「農奴制から資本主義への歴史の進行を加速させた」ということは、間違いなくいえるでしょう。その意味で、東京大学名誉教授の村上陽一郎氏が、その著書『ペスト大流行――ヨーロッパ中世の崩壊』でのべたように、「黒死病は、資本主義の発生に決定的なギアを入れた」ということができると思います。

こうして、パンデミックは、人々に大きな犠牲を強いる悲劇ですが、時として、歴史を変える契機になりうるのであります。

「労働者規制法」を出発点とした「資本家と労働者の数世紀にわたる闘争」（マルクス）

マルクスの『資本論』を読むと、第1部の第8章「労働日」に、ペストにかかわる叙述が出てきます。14世紀なかばのイギリスで、エドワード3世の時代――１３４９年に、「最初の『〃労働者規制法〃』」がつくられたと書かれています。

ペストが人口を激減させ、農業労働者の賃金の高騰が起こるもとで、力ずくで賃金を抑えることが必要となりました。こうして「労働者規制法」が歴史上初めてつくられました。しかし、一片の法律で、この流れを止めることはできず、繰り返し同様の規制法が制定されました。

マルクスはこの章で、「標準労働日獲

得のための闘争」の歴史を、二つの歴史的時期に分けて描き出しています。

第一の時期は、「十四世紀なかばから十七世紀末まで」の時期で、資本家が労働者に対して、労働日（労働時間）を強制的に延長するための強制法を押し付けた時期であります。マルクスは、1349年にイギリスでつくられた「労働者規制法」を、その最初のものと位置づけています。

第二の時期は、「一八三三年―一八六四年のイギリスの工場立法」の時期で、第一の時期と反対に、法律によって労働日（労働時間）が強制的に制限されるようになった時期であります。1848～50年にイギリスでつくられた10時間労働制は、労働者による長期にわたる闘争が生み出した画期的な成果でした。

マルクスは、『資本論』で、こうした労働日をめぐる闘争の歴史について、「標準労働日の確立は、資本家と労働者の数世紀にわたる闘争の成果である」と特徴づけています。よく10時間労働制について、労働者階級の「半世紀にわたる内乱」の結果だという部分が引用されますが、マルクスは、もう一つ、より長い歴史的視野で、「数世紀にわたる闘争の成果」だという特徴づけを行っているのです。（新版②、462～524ページ）

14世紀に、ペストのパンデミックを契機につくられた「労働者規制法」は、「資本家と労働者とのあいだの数世紀にわたる闘争」の出発点となる歴史的出来事でした。この出来事を起点とした数世紀にわたる闘争の結果、最初は労働者を抑圧するための立法が、やがて労働者が自らの権利を守るための立法へと転化しました。10時間労働制がつくられ、それは現代における労働時間短縮をめざすたたかいへと続いています。14世紀のペスト大流行は、こうした意味で、いま日本で私たちが取り組んでいる「8時間働けばふつうに暮らせる社会」をめざす運動ともかかわっているのであります。

新型コロナ・パンデミック――歴史の変化を加速する動きが起こっている

中世、近代から、一挙に現在に戻りたいと思います。

感染症のパンデミックは、時として、歴史を変える契機となりうる、歴史の進行を加速することがあるとのべましたが、私は、それはいま起こっている新型コロナ・パンデミックでもいえることではないかと思います。

米国の黒人暴行死事件――植民地主義、奴隷制度への歴史的見直しを迫る運動が

米国で起こった警官によるジョージ・フロイド氏の暴行死事件への抗議行動

は、またたくまに全米、欧州、世界へと広がりました。抗議行動は、すでに全米で２０００カ所以上、世界72カ国・地域で２００都市以上、文字通り世界中に広がっています。日本でも各地で抗議行動が起こっています。

重要なことは、その抗議の内容が、構造的人種差別への怒りにとどまらず、植民地主義、奴隷制度、奴隷取引に対する歴史的抗議、歴史的見直しを迫るものへと発展しているということです。

米国では、南北戦争で奴隷制を推進する南部連合軍で司令官を務めたロバート・エドワード・リーの像が撤去されることになりました。イギリスでは、約8万人の男女や子どもをアフリカ大陸からアメリカ大陸に奴隷として送り込んだ17世紀の奴隷商人・エドワード・コルストンの銅像が引きずり降ろされました。ベルギーでは、19世紀後半、コンゴを巨大な強制収容所に変え、ノルマを達成できない住民の手足を切断するなど、非道な植民地支配を行ったレオポルド2世の像が撤去されました。

ベルギーのフィリップ国王は、6月30日、コンゴ民主共和国のチセケディ大統領にあてた書簡で次のような反省をのべました。

「（レオポルド2世の）コンゴ自由国時代、暴力と残虐な行為が行われ、それがいまだにわれわれの集団的記憶に重くのしかかっています。それに続く植民地時代もまた、苦しみと恥辱を与えました。私は、この過去の傷に、痛恨の極みを表明したいと思います」

ベルギー国王によるコンゴへの反省は、歴史上はじめてとのことであります。

「ダーバン宣言」の実施をうたった国連人権理事会決議――歴史の進歩を加速

米国における構造的な黒人差別をなくすたたかいは、長期にわたって粘り強く取り組まれてきた課題でしたが、今回、一挙に、全米へ、世界へと広がったのはなぜでしょうか。私は、その背景には、新型コロナ・パンデミックによる共通の体験があると思います。

新型コロナ危機のもと、米国では、人種差別とともに、あらゆる差別・不公正・不正義が一挙に顕在化しました。その深刻さに、黒人以外の多くの人々も「人ごとではない」と感じる状況が広がり、抗議運動には、黒人だけでなく、白人、ヒスパニック、アジア系、先住民なども広く参加し、とくに20代、30代の若者が多数参加しています。同じ流れが欧州でも、世界でも、一挙に広がりました。

国連でも動きが起こりました。6月19日、国連の人権理事会は、緊急会合を開き、決議「警察官の過剰な力の行使やその他の人権侵害から、アフリカ人及びアフリカ系住民の人権と基本的自由を促進し、保護する」をコンセンサスで採択しました。

注目されるのは、この決議が、２００１

年に南アフリカのダーバンで開かれた「人種主義、人種差別、排外主義および関連する不寛容に反対する世界会議」で採択された「ダーバン宣言」の実施をうたっていることです。

「ダーバン宣言」は、「大西洋越え奴隷取引などの奴隷制度と奴隷取引」を「人類史のすさまじい悲劇」「人道にたいする罪」と糾弾するとともに、「植民地支配が起きたところはどこであれ、いつであれ、非難され、その再発は防止されなければならない」――植民地支配は、過去にさかのぼって非難されなければならないと宣言したものです。

こうした画期的意義をもつ「ダーバン宣言」の実施がうたわれ、世界各地で忌まわしい過去と結びついた像が撤去され、ベルギーでは国王が過去の植民地支配への反省を行った。それは、植民地体制の崩壊という20世紀に起こった世界の構造変化が、今日、生きた力を発揮していることを示すものにほかなりません。そして、世界のこの激動的な姿は、新型コロナ・パンデミックが、歴史を変える大きな契機となり、その進歩を加速していることを明らかにするものではないでしょうか。

そして、植民地支配という点では、日本政府もまた過去と向き合うことが求められています。いま、世界で起こっている巨大な流れをふまえ、朝鮮半島に対する過去の植民地支配をきっぱり反省することを、私は、この機会に強く求めたいと思います。（拍手）

改定綱領を手に、コロナ危機をのりこえ、新しい希望ある日本と世界を

みなさん。日本もまた、歴史の大きな転機のなかにあります。

新型コロナ危機を体験して、国民の意識のなかに前向きの大きな変化が

この間、新型コロナ危機を、文字通りすべての人々が体験しています。その体験をつうじて、医療や教育といったほんらい「ゆとり」が必要な分野がおろそかにされ、いかにもろいものになっているかを、多くの人々が肌身を通じて実感しているのではないでしょうか。国民に「自己責任」を押しつける政治がいかに危ういものかも、暮らしと営業が困難に追い込まれるもとで、多くの人々の認識になりつつあるのではないでしょうか。これまで遠いものだと思っていた政治が、実は、一人ひとりの命と暮らしに直結するものであることを、多くの方々が実感しているのではないでしょうか。

コロナ危機の体験をつうじて、国民の意識のなかに、前向きの大きな変化――一過性でない、深いうねりのような変化

が生まれているのではないでしょうか。

全国のみなさん。そうした前向きの変化を一つに集め、人々の連帯の力で、コロナ危機をのりこえた先には、新しい希望ある日本と世界をつくろうではありませんか。（拍手）

歴史をつくるのは人間のたたかい――あなたの入党を心から訴えます

そうした取り組みを進めるさいに、今日お話ししてきたように、改定した日本共産党綱領は、たしかな羅針盤になると確信するものです。

破たんした新自由主義をのりこえて、どういう新しい日本をつくるのか。新型コロナ・パンデミックのもと矛盾が噴き出している世界資本主義にどういう姿勢でのぞむのか。国際政治の連帯と協力をどのようにして前に進めるのか。どの問題でも、危機のもと、改定綱領の生命力がきわだっているのではないでしょうか。

パンデミックは、時として、歴史を変える契機になりえます。しかしそれはあくまで契機にすぎません。歴史をつくるのは、いつの時代でも人間のたたかいであります。たたかってこそ、危機の先に、希望ある未来を開くことができるのであります。

最後に心から訴えます。今日の私の話に共感していただいた方は、オンラインではありますが今日こうしてお会いしたのも何かのご縁と考えていただき、この機会にどうか日本共産党に入党していただき、一回きりしかない大切な人生を、新しい社会をつくる事業に重ね合わせる生き方を、選びとっていただきたい。このことを心から訴えたいと思います。（拍手）

新型コロナ危機で、多くの国民が不安や苦しみのなかにあるとき、全国の草の根で、日本共産党員と党組織が、不安や苦しみに心を寄せ、苦難軽減のための取り組みを行っていることは、今日で98年を数える日本共産党の党史で一貫して貫かれている「立党の精神」の発揮であり、私たちの誇りであります。

危機と激動の時代、歴史を前に進めるために、ともに歩もうではありませんか。そのことを心から訴えて、記念講演を終わります。

日本共産党創立98周年万歳！

ありがとうございました。（大きな拍手）

（「しんぶん赤旗」２０２０年7月17日付）